中國碑帖名品

［九十七］

伊秉綬書法名品

上海書畫出版社

前言

中華文明綿延五千餘年，文字實具第一功。從倉頡造字而雨粟鬼泣的傳説起，歷經華夏子民智慧聚集、薪火相傳，終使漢字生生不息、蔚爲壯觀。伴隨著漢字發展而成長的中國書法，基於漢字象形表意的特性，在一代又一代書寫者的努力之下，最終超越其實用意義，成爲一門世界上其他民族文字無法企及的純藝術，併成爲漢文化的重要元素之一。在中國知識階層看來，書法是中國人『澄懷味象』、寓哲理於詩性的藝術最高表現方式，她净化、提升了人的精神品格，歷來被視爲『道』『器』合一。而事實上，中國書法確實包羅萬象，從孔孟釋道到各家學説，從宇宙自然到社會生活，中華文化的精粹，在其間都得到了種種反映，書法無愧爲中華文化的載體。書法又推動了漢字的發展，篆、隸、草、行、真五體的嬗變和成熟，源於無數書家承前啓後、對漢字美的不懈追求，多樣的書家風格，則愈加顯示出漢字的無窮活力。那些最優秀的『知行合一』的書法家們是中華智慧的實踐者，他們彙成的這條書法之河印證了中華文化的發展。

因此，學習和探求書法藝術，實際上是瞭解中華文化最有效的一個途徑。歷史證明，漢字及其書法衝破了民族文化的隔閡和時空的限制，在世界文明的進程中發生了重要作用。我們堅信，在今後的文明進程中，這一獨特的藝術形式，仍將發揮出巨大的力量。然而，在當代這個社會經濟高速發展、不同文化劇烈碰撞的時期，書法也遭遇前所未有的挑戰，這其間自有種種因素，而漢字書寫的退化，或許是書法之道出現踟躕不前窘狀的重要原因，因此，有識之士深感傳統文化有『迷失』、『式微』之虞。書法藝術的健康發展，有賴對中國文化、藝術真諦更深刻的體認，彙聚更多的力量做更多務實的工作，這是當今從事書法工作的專業人士責無旁貸的重任。

有鑒於此，上海書畫出版社以保存、還原最優秀的書法藝術作品爲目的，承繼五十年出版傳統，出版了這套《中國碑帖名品》叢帖。該叢帖在總結本社不同時段字帖出版的資源和經驗基礎上，更加系統地觀照整個書法史的藝術進程，彙聚歷代尤其是今人對不同書體不同書家作品（包括新出土書迹）的深入研究，以書體遞變爲縱軸，以書家風格爲横綫，遴選了書法史上最優秀的書法作品彙編成一百册，再現了中國書法史的輝煌。

爲了更方便讀者學習與品鑒，本套叢帖在文字疏解、藝術賞評諸方面做了全新的嘗試，使文字記載、釋義的屬性與書法藝術造型、審美的作用相輔相成，進一步拓展字帖的功能。同時，我們精選底本，併充分利用現代高度發展的印刷技術，精心校核，原色印刷，幾同真迹，這必將有益於臨習者更準確地體會與欣賞，以獲得學習的門徑。披覽全帙，思接千載，我們希望通過精心編撰、系統規模的出版工作，能爲當今書法藝術的弘揚和發展，起到綿薄的推進作用，以無愧祖宗留給我們的偉大遺産。

上海書畫出版社

簡介

伊秉綬（一七五四—一八一五），清代書家。字祖似，號墨卿、默庵。汀洲（今福建寧化）人。官惠州、揚州知府。工書畫。著有《留春草堂集》。伊秉綬書法諸體皆工，行出於顏真卿，活潑勁健，宛似彎弓，勢如抱月。尤精隸書，古質勁直，能拓漢隸而大之，愈大愈壯，康有爲稱其能集分書之成。其書勢圓氣厚，古樸雄茂，風格獨具。本册所選伊秉綬諸體書作無論臨、創，皆爲精品，較全面地展現了其書法風格。所選作品現藏於朵雲軒、榮寶齋、上海博物館等處。

按：此詩爲唐賈至《送李侍郎赴常州》。

【行书贾至詩軸】雪晴雲散北風寒，楚水吴山/道路難。今日送君須盡醉，明/朝相憶路漫漫。墨卿。/

雪晴

雲散此

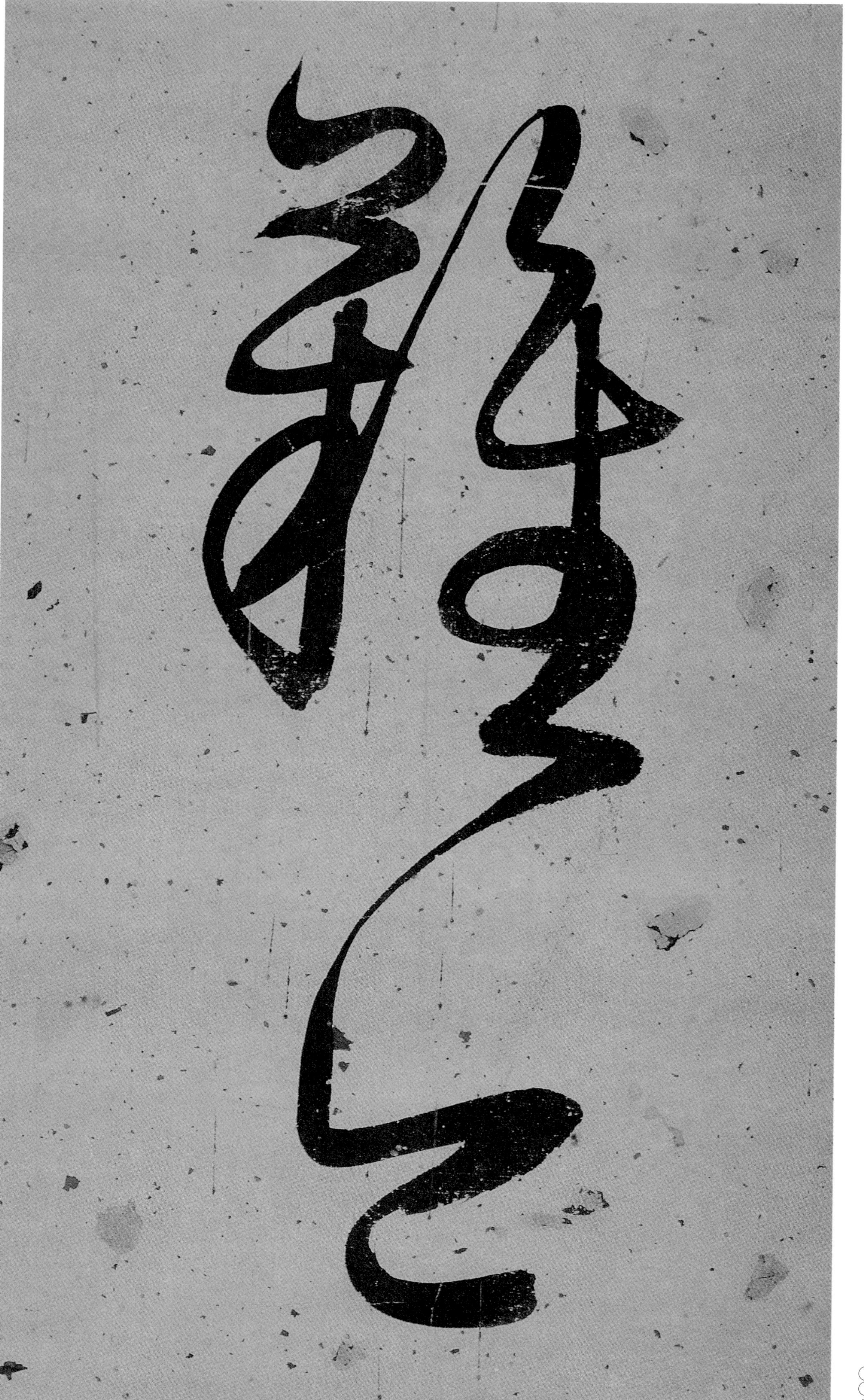

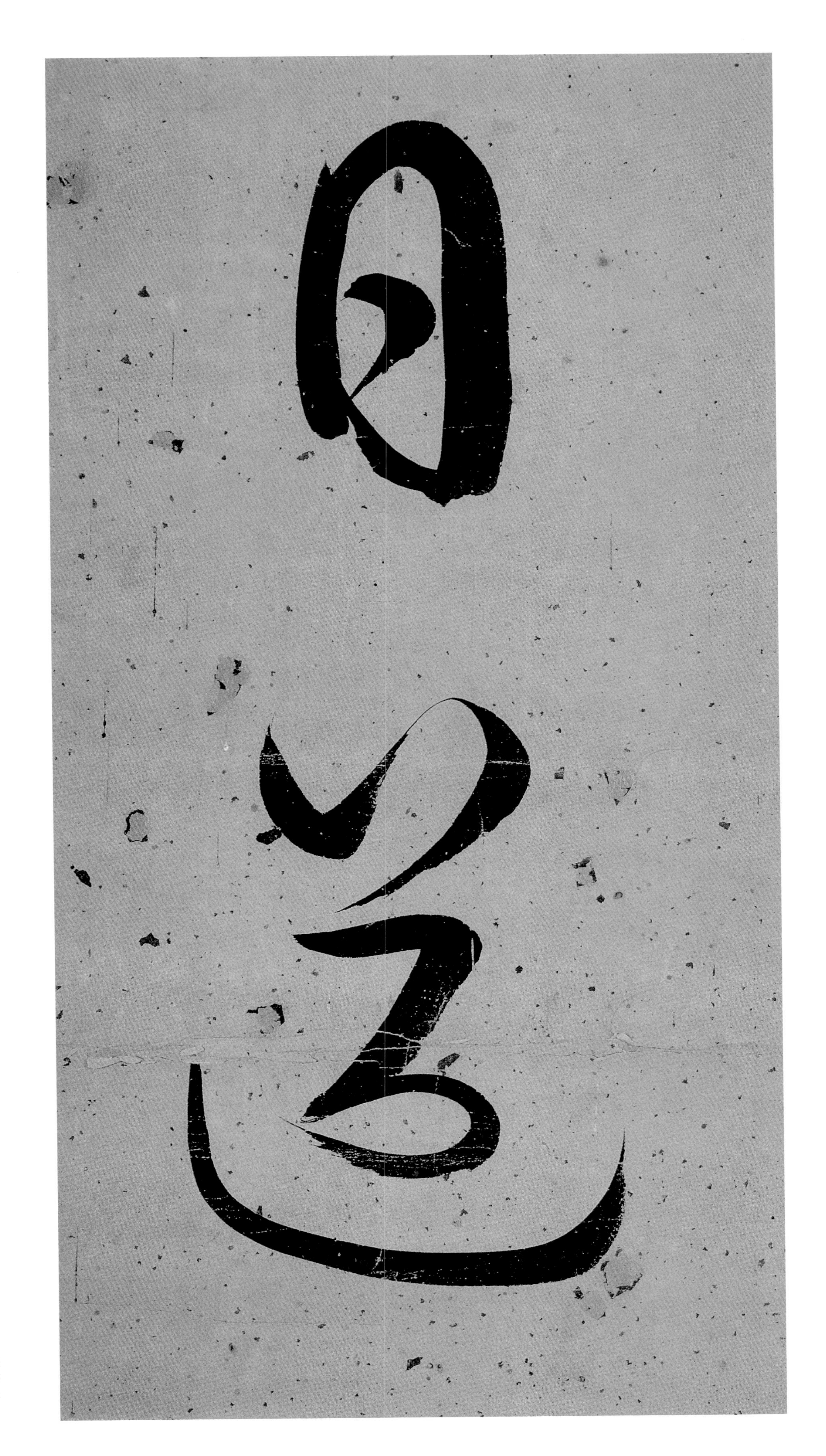

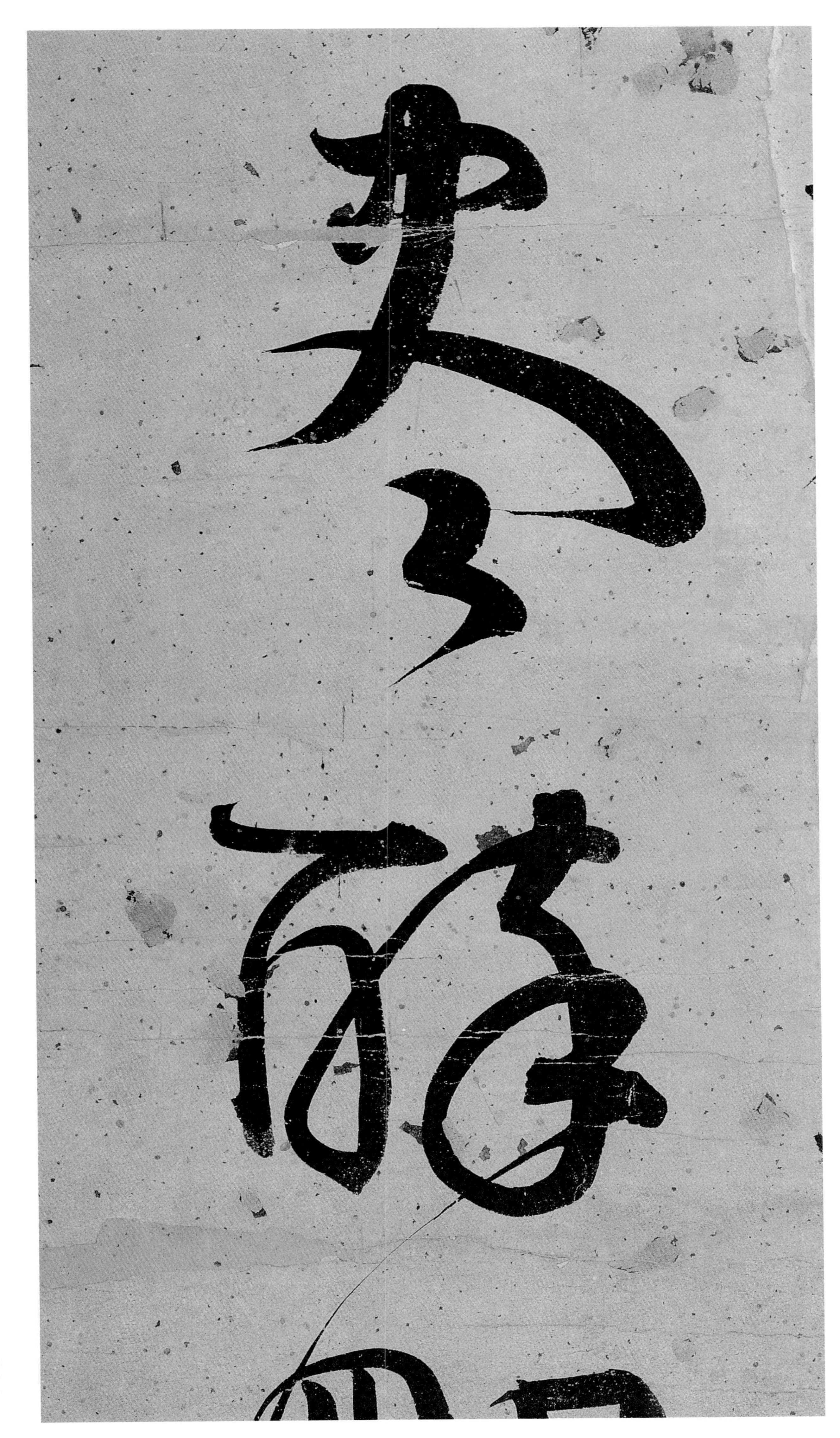

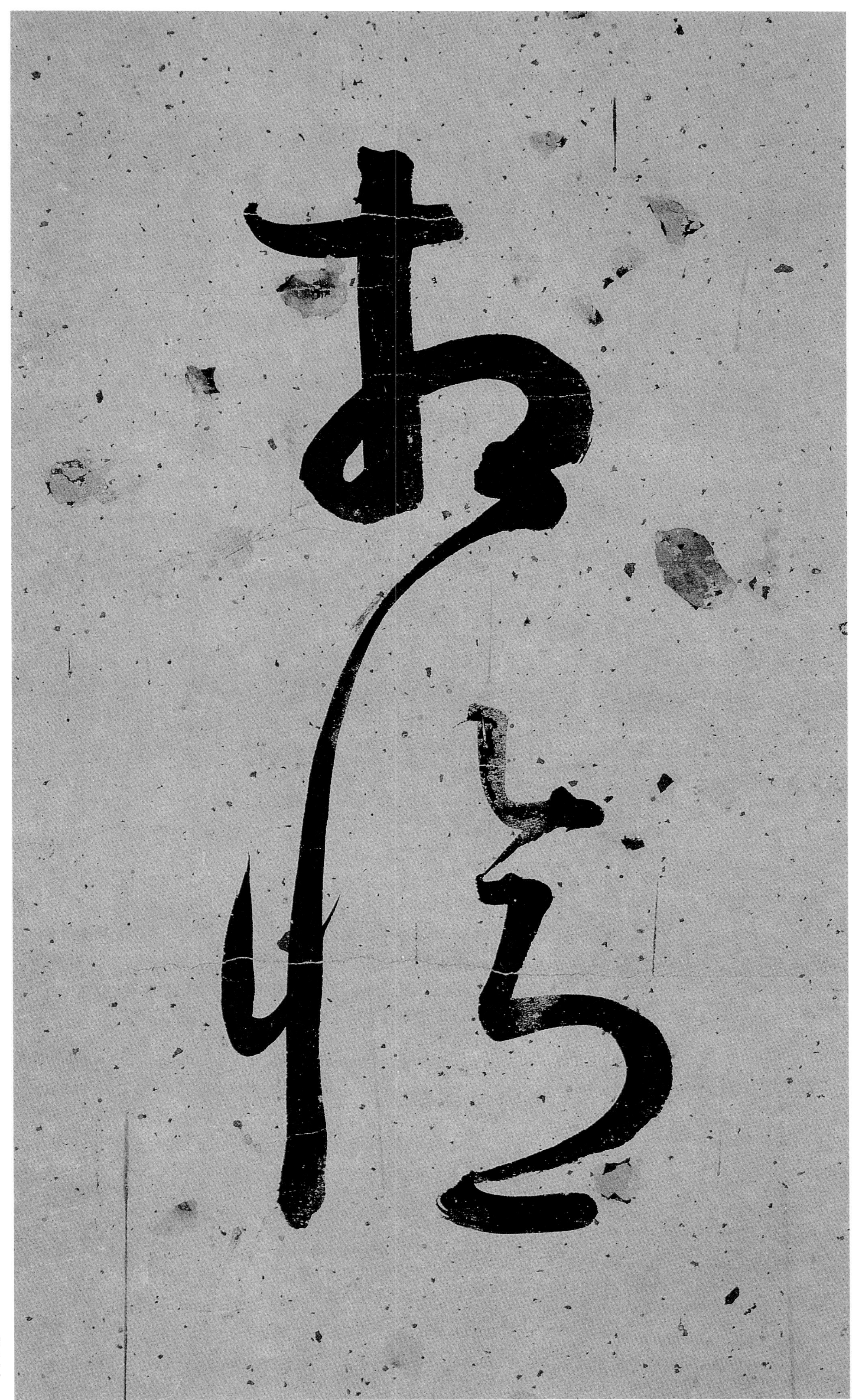

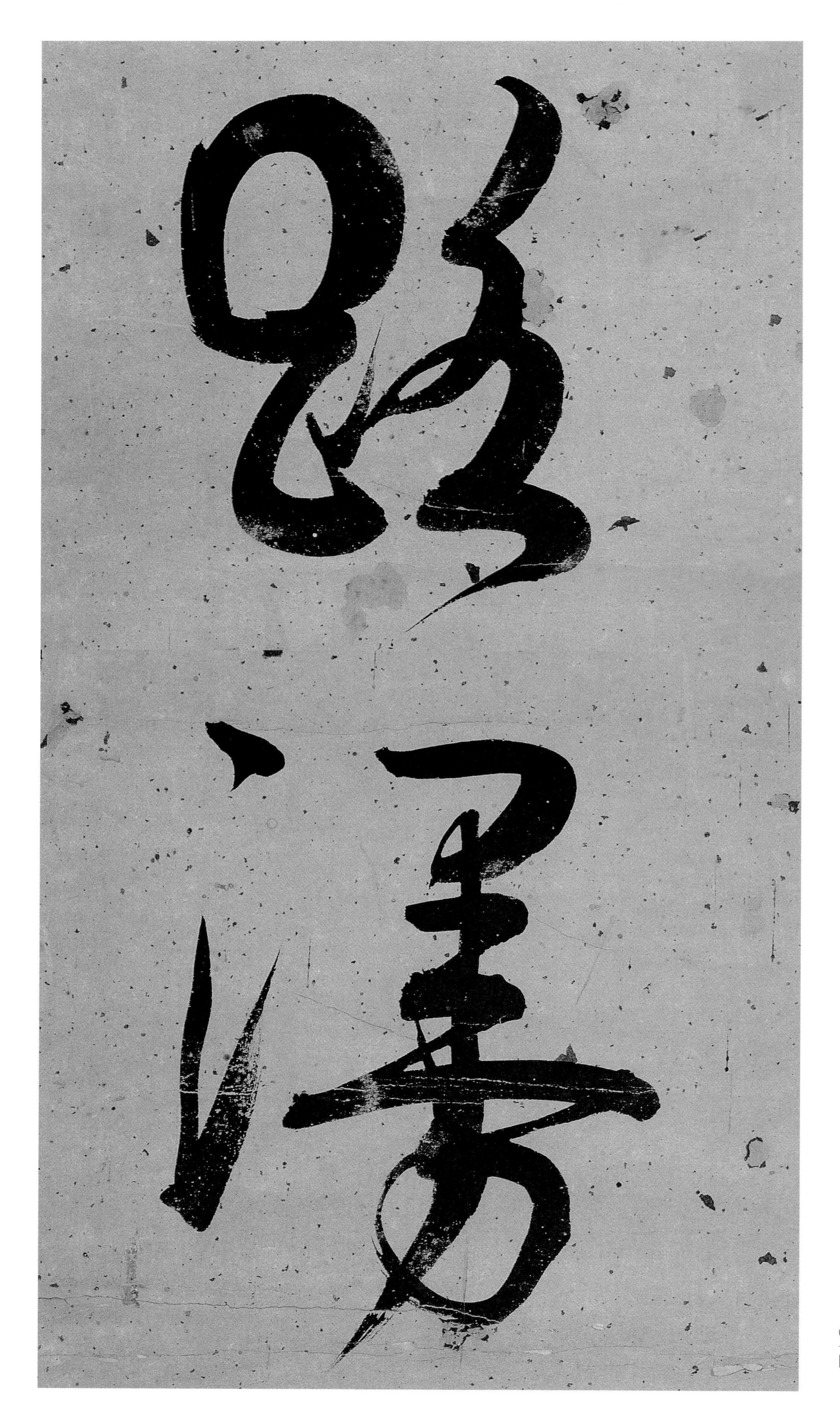

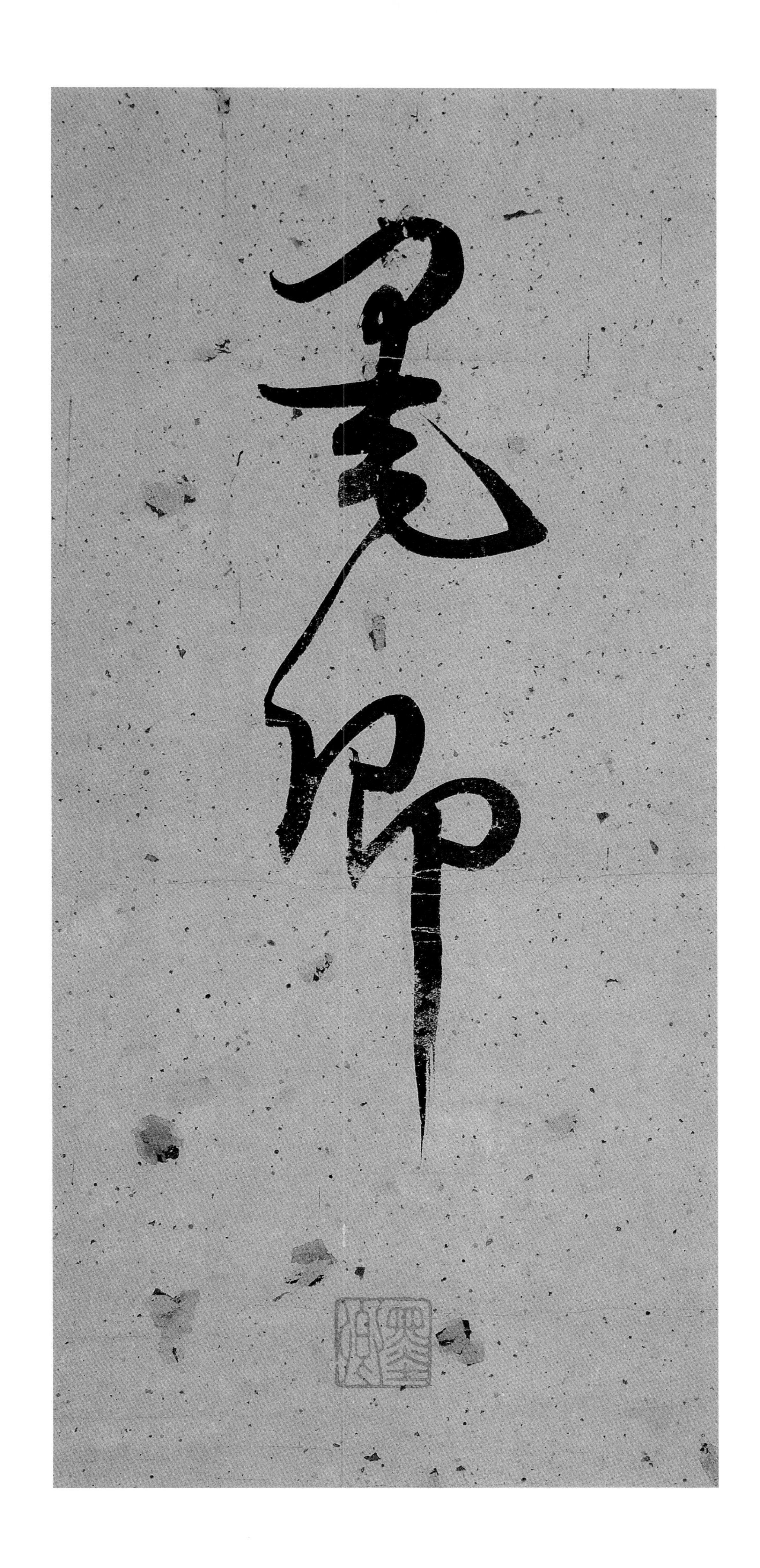

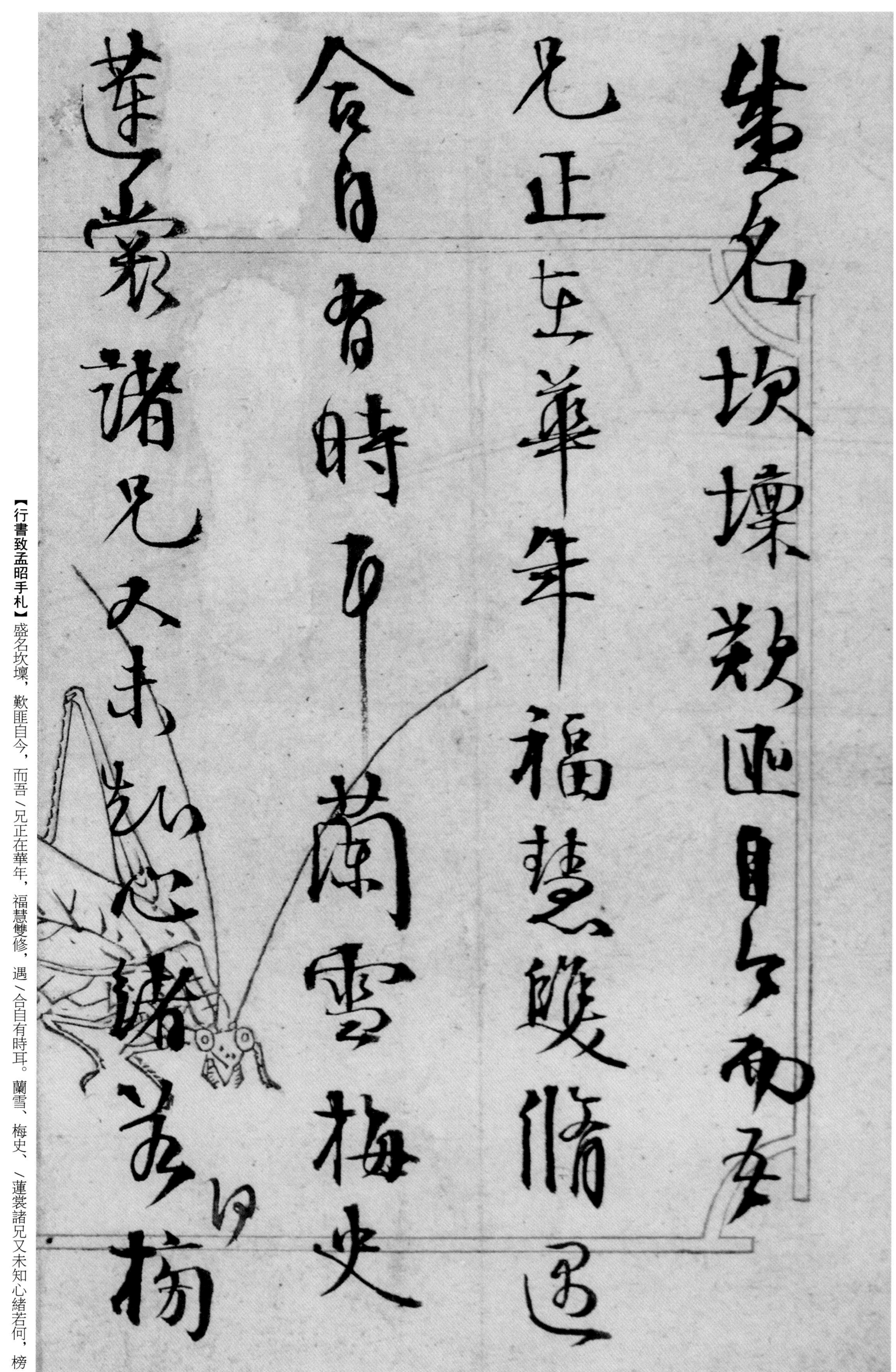

盛名坎壈歎匪自今而吾
兄正在華年福慧雙修遇
合自有時耳蘭雪梅史
蓮裳諸兄又未知心緒若何榜

【行書致孟昭手札】盛名坎壈，歎匪自今，而吾／兄正在華年，福慧雙修，遇／合自有時耳。蘭雪、梅史、／蓮裳諸兄又未知心緒若何，榜／

坎壈：同『坎廩』。困頓；不得志。《楚辭·九辯》：『坎廩兮，貧士失職而志不平；廓落兮，羇旅而無友生。』

福慧雙修：原指福德和智慧都達到至善的境地。後指有福氣又聰敏。唐慧立《大慈恩寺三藏法師傳》：『菩薩爲行，福慧雙修，智

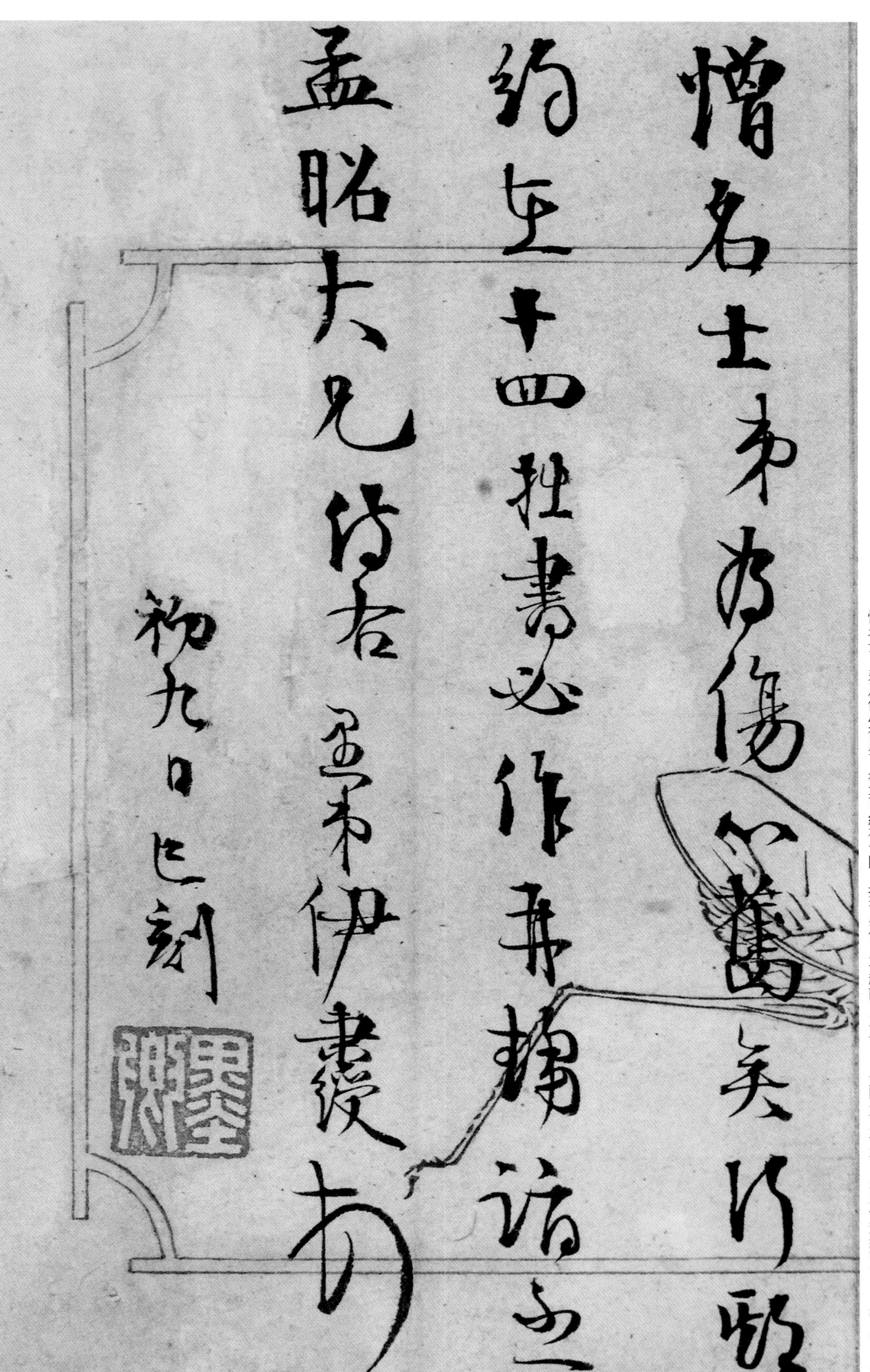

憎名士，弟爲傷心舊矣。行期／約在十四，拙書必作，再趨詣。不一。／孟昭大兄侍右。愚弟伊秉綬頓首。／初九日巳刻。／

趨詣：前往拜謁。
巳刻：即巳時，相當於上午九點至十一點的時間段。

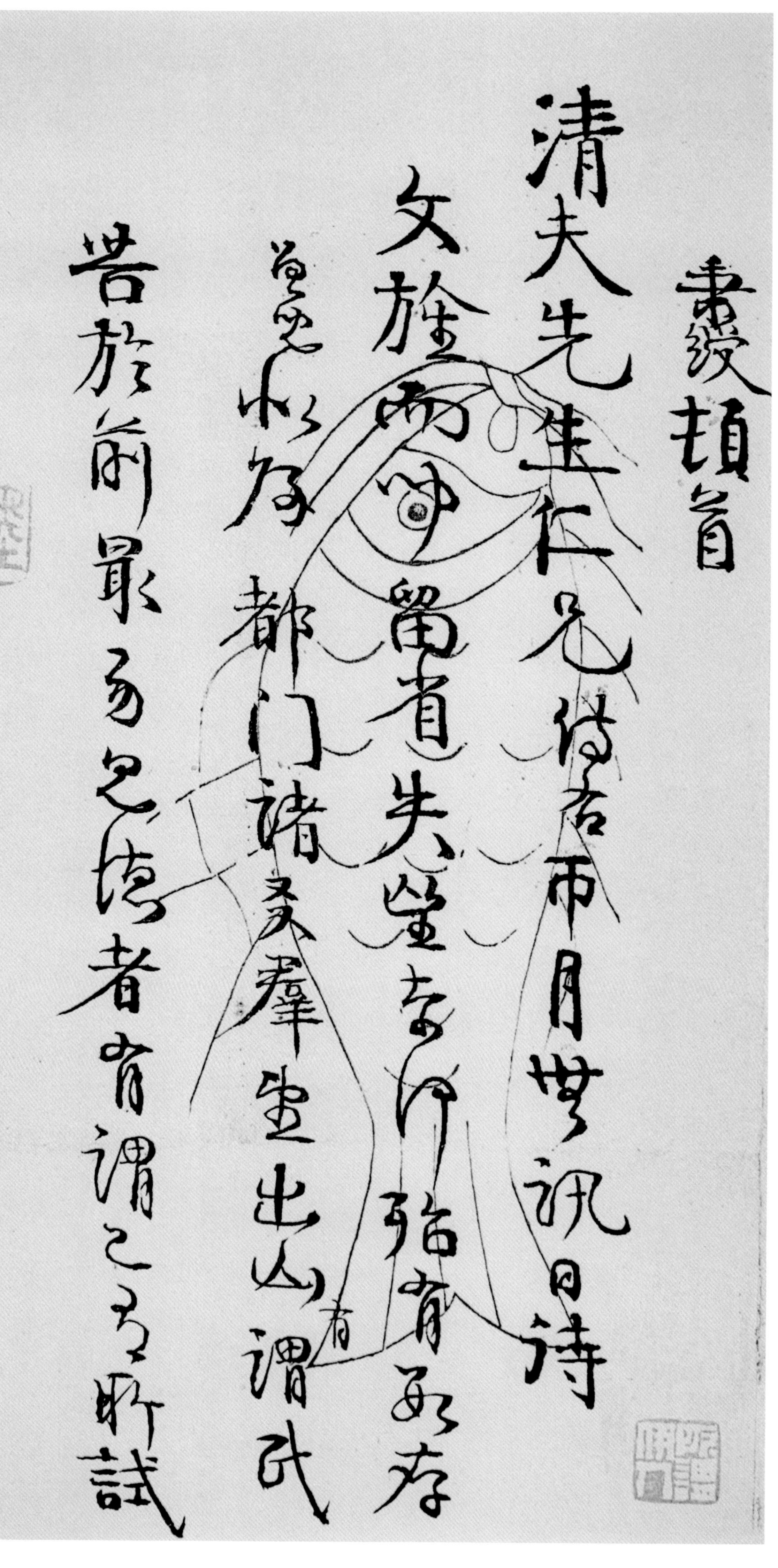

【行書致清夫手札】秉綬頓首／清夫先生仁兄侍右：帀月無訊，日待／文旌，而聞留省，失望奈何，殆有數存。／曾兒北歸，都門諸友，群望出山。有謂民／苦於前，最易見德者；有謂已有所試，／

帀月：一整月。
文旌：有文彩的旌旗。古時貴官出行時前導的儀仗，後用爲稱人行旅的敬辭。

易獲見信者；有謂坐擁厚貲，安享╱無志者。（人之不知，至勸曾兒捐郎中，誠以爲恥。）此名詎可當？適平叔公祖奉╱文追官項，現已告罄，即須動産，産實無╱多，除義田二百石，只數百石耳。三代墓祭、╱兩家子孫所繫，伏思呈請，坐扣養廉云者，╱

不出補官，庸非欺罔，眼前如李漳州孫，〳汀州不能目之爲無益也。李廣州年老可以告〳歸，弟計惠州三年、揚州二年，於心多歉。今幸僅只〳須白其精力，聰明如常，尚可再效三年，〳若少見衰，則六十五歲以上（例應引見），即行致仕。叨〳

恩早足，再不爲子孫攜一錢歸，倘加累，則／後人福薄。吾只求心無愧，以俟命而已。／先生前示以四勿必，本於敬静，弟極服膺。／顔子請事斯語時，即敬以誠。吾輩希／顔，性在主敬，敬能包静，静不能包敬。幸
生程／

朱，後學聖賢而得入手之功，名利不動心，／此猶犓節性收放心，刻刻持敬，以明察事／理，而驗於言與事。齋居更易，治劇自難，／爲其難者，以試近學，只求常移書／督責之，毋令立身一敗，蛇足騰笑，則幸甚感知／

矣。又桐城夫子，今之儀封睢州，祈以此轉╱呈，庶知秉綬尚有志正誼，即來請咨，務於╱燕閒諄誨，以堅其學力，廣其治功。╱大賢成就人才，絶非下僚攀附，亦正，不敢╱

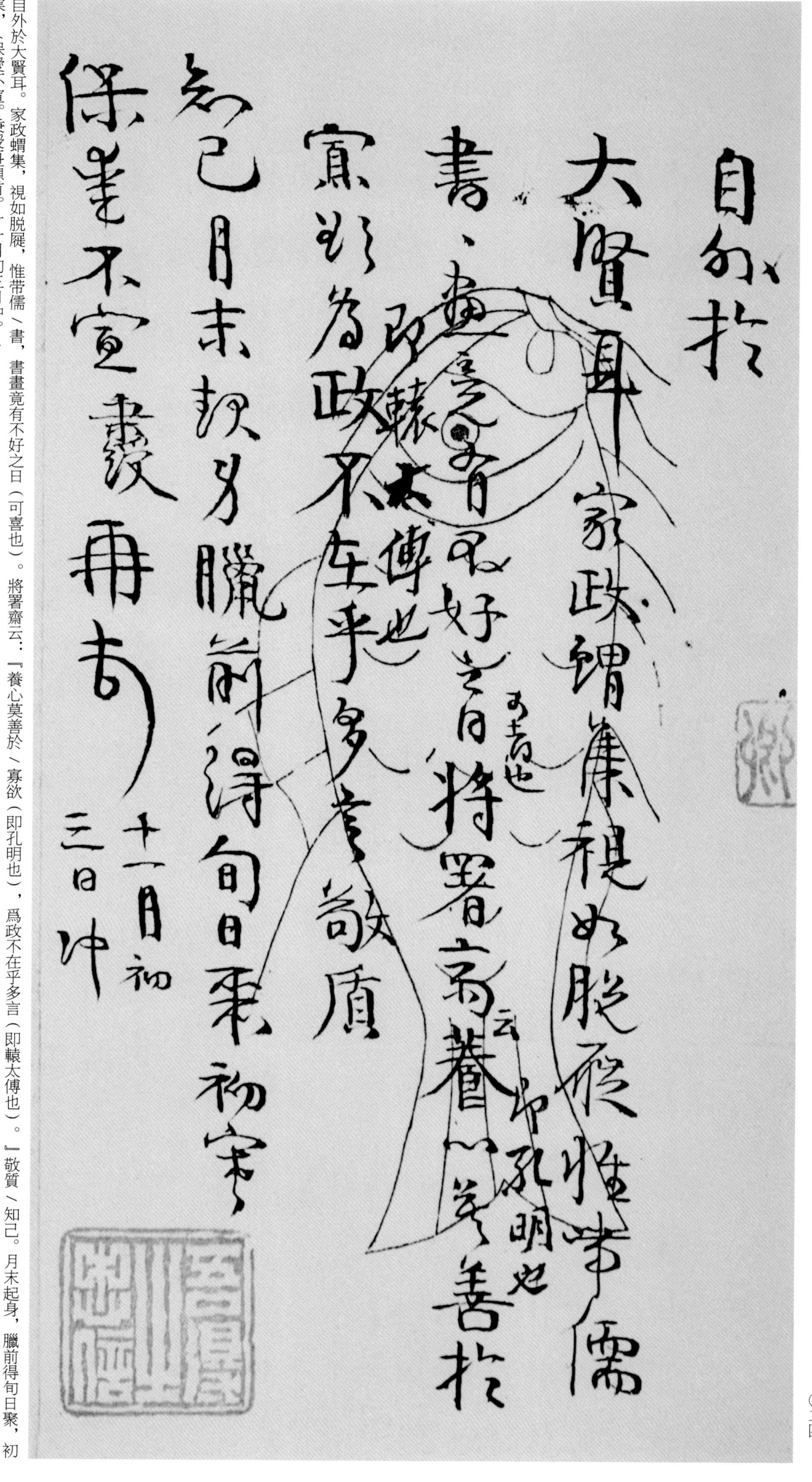

自外於大賢耳。家政蝟集，視如脱屣，惟帯儒／書，書畫竟有不好之日（可喜也）。將署齋云：『養心莫善於／寡欲（即孔明也），爲政不在乎多言（即轅太傅也）。』敬質／知己。月末起身，臘前得旬日聚，初寒，／保愛不宣。秉綬再頓首。十一月初三日冲。／

蝟集：同『猬集』。比喻衆多，如刺猬毛叢聚。

脱屣：比喻看得很輕，無所顧戀，猶如脱掉鞋子。《漢書・郊祀志上》：『嗟乎！誠得如黃帝，吾視去妻子如脱屣耳！』顔師古注：『屣，小履。脱屣者，言其便易，無所顧也。』

秉綬再啓：自/時之清，忽動宦興，因劉運使清熊監/司方受，俱著勞績，不覺内愧。適有無/名子投書於園，勉以報效，激以盛族，所/圖之事，謂將不能自明。弟非畏之（此事秘甚，能言此者其人可知），而理/

自亘出。竊以下僚，惟在克己，大臣則在進/賢，而進賢端由克己，所謂體用一源。從/前之政已未甚克誠，能若無若虛，克之/必盡，則上司可感。能分激揚之權，百姓自/安，而有彰癉之實。秉綬之病尤在夫清虛/

彰癉：彰善癉惡。表彰美善，憎恨邪惡。《尚書·畢命》：『旌別淑慝，表厥宅里，彰善癉惡，樹之風聲。』孔傳：『言當識別頑民之善惡，表異其居里，明其爲善，病其爲惡，立其善風，揚其善聲。』

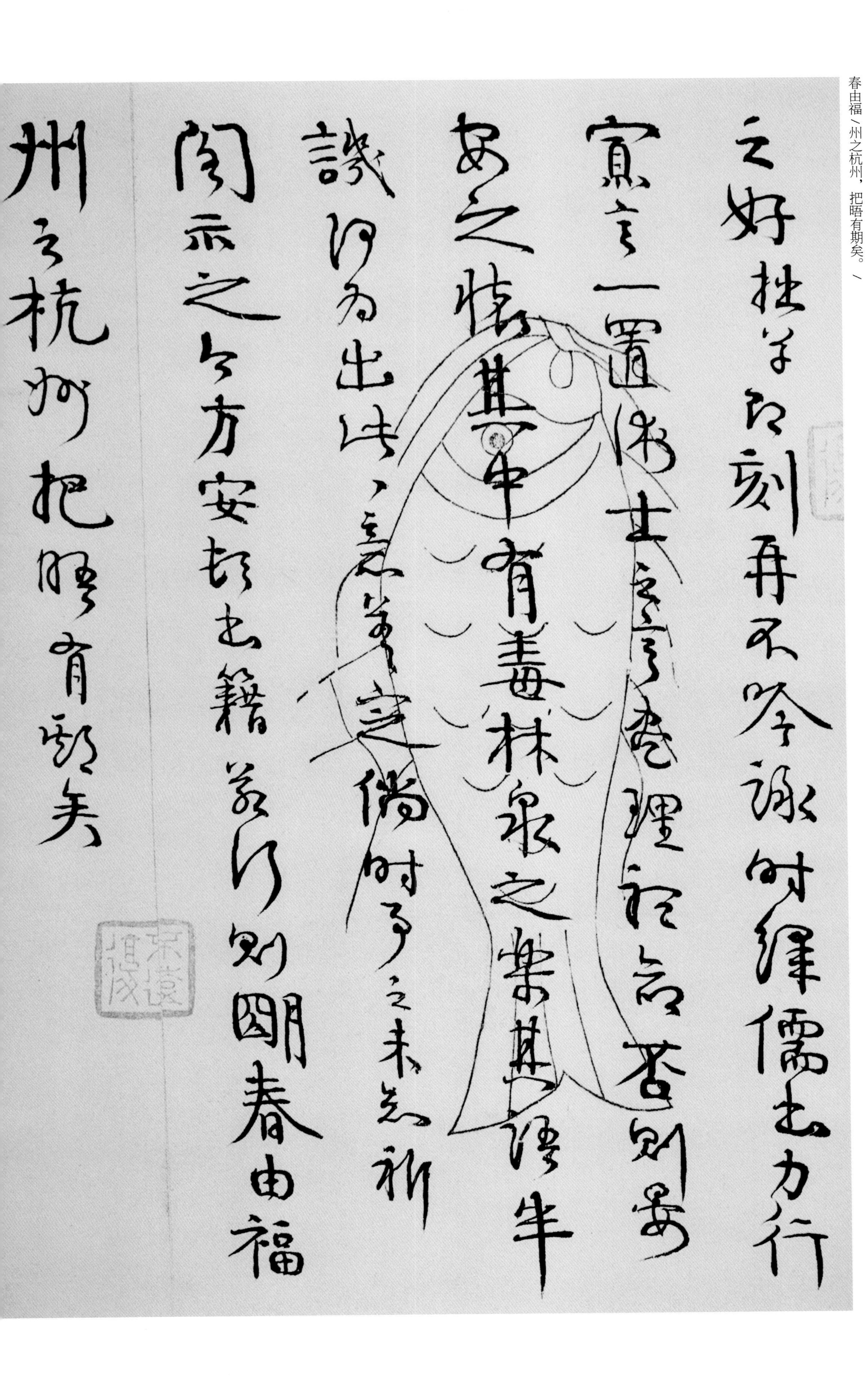

春由福／州之杭州，把晤有期矣。／

【題額】愛／日吟／盧。／雪堂二兄題／額，弟伊秉綬書，／嘉慶丙寅初冬。／

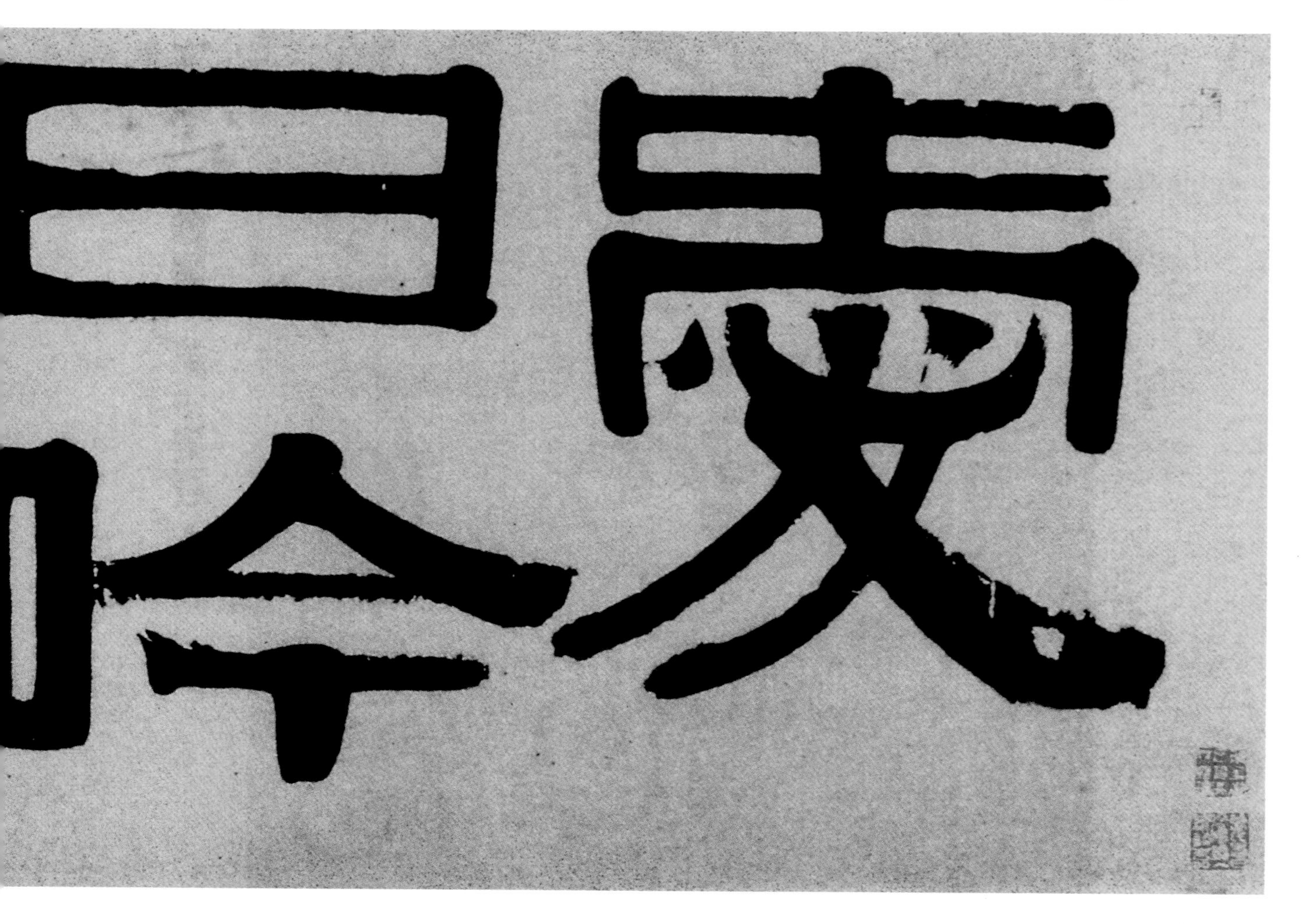

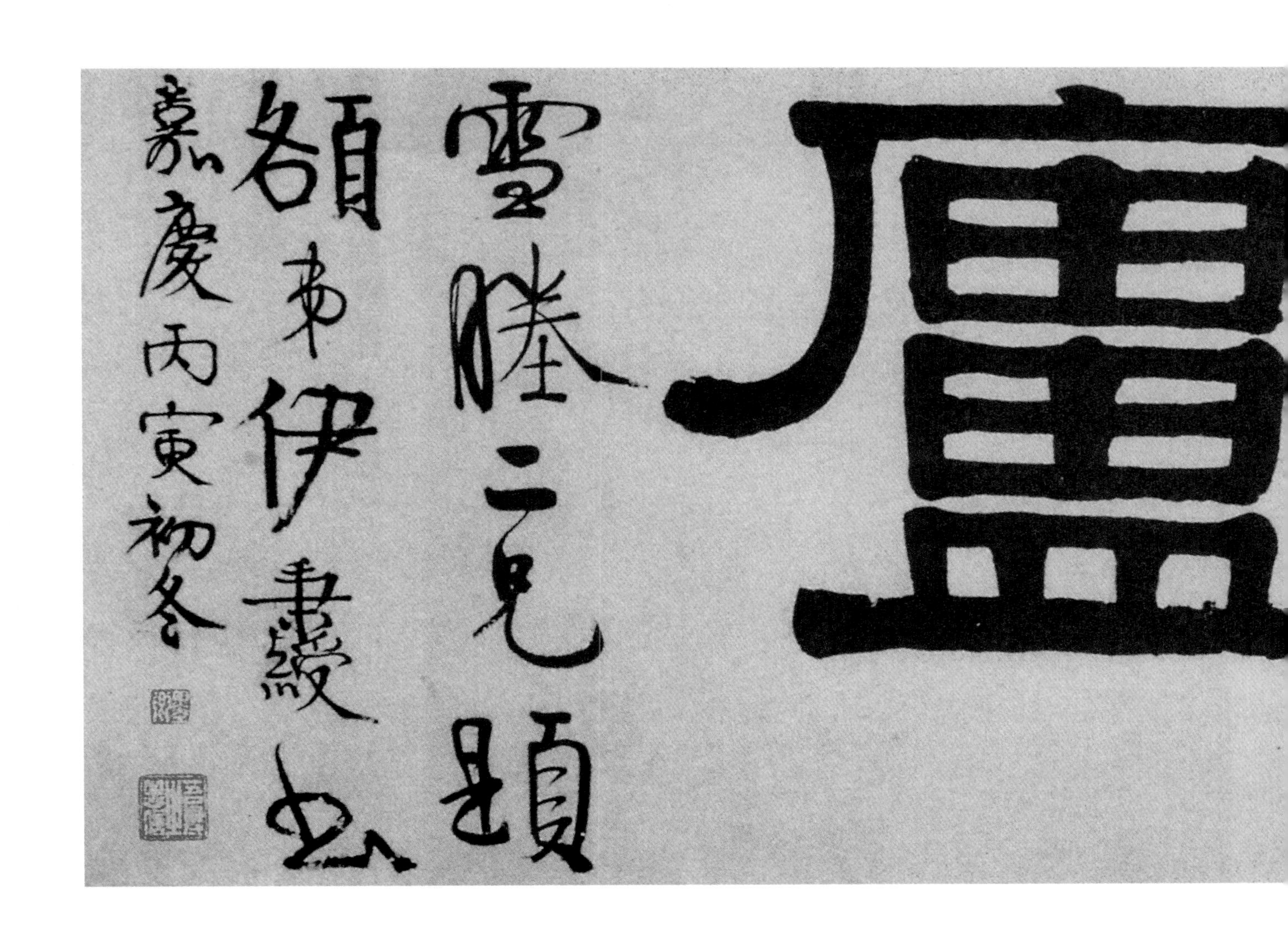
廬
嘉慶丙寅初冬

【題額】柘／庵。／雲江六兄主講／鼇汀州伊秉綬。／嘉慶十一年臘月。／

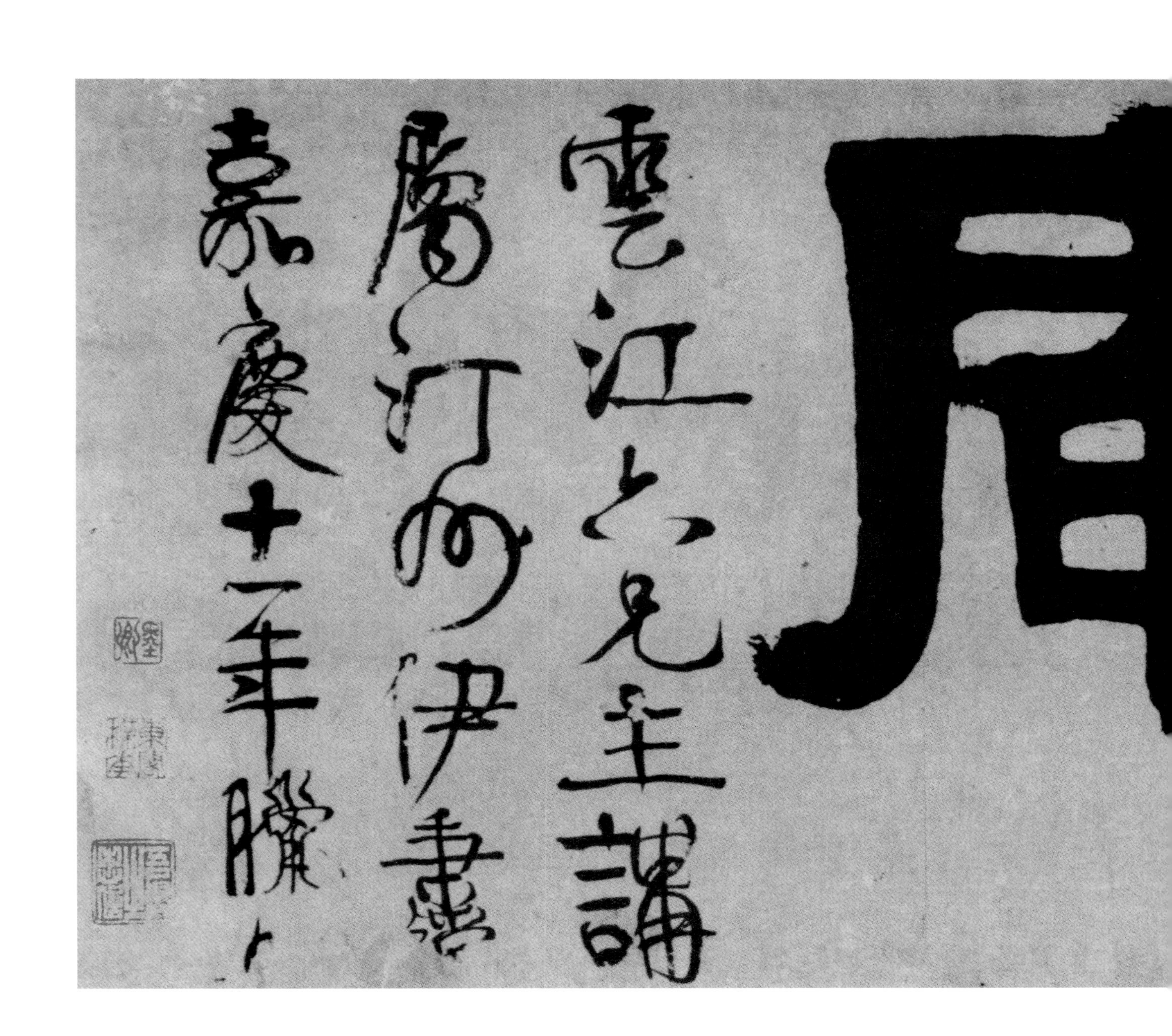
雲江六兄主講
屬汀州伊秉綬
嘉慶十二年臘月

【題額】散邑／盤銘。／嘉慶二十年／孟秋，伊秉綬題。／

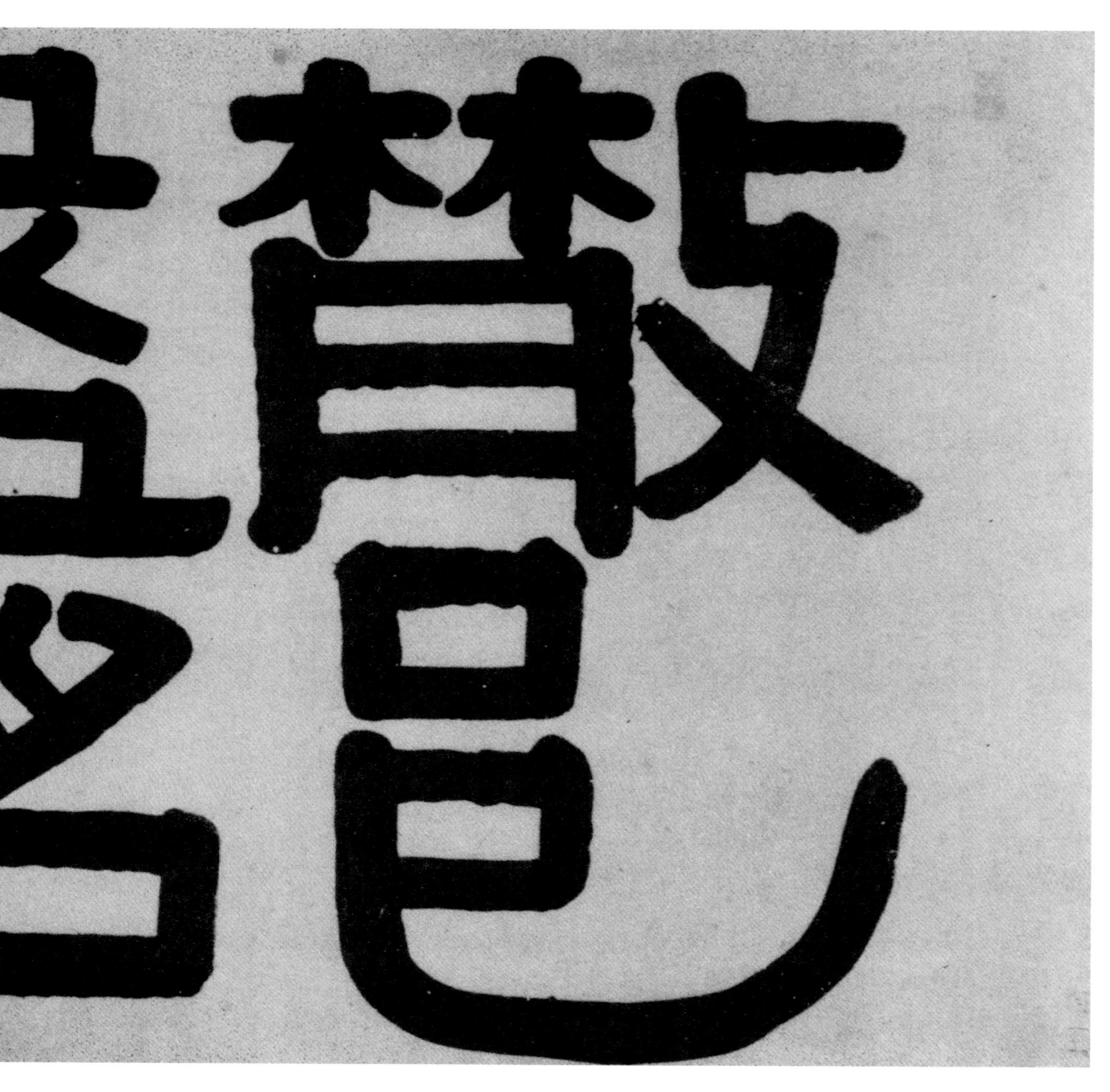

嘉慶二十年

孟冬伊秉綬題

【**隸書題跋**】元王元章畫／梅花，由明僧／傳至領南，爲／同年張藥房／太史秘玩，往／在都曾見之。／太史晚年以／贈葉雲谷農／部，嘉慶十六／年九月農部／款我於友石／齋，得坐臥花／下旬日，寧化／伊秉綬題記。／

王元章：即王冕，元代著名畫家，以畫梅聞名。

葉雲谷：即葉夢龍（一七七五—一八三二），字仲山，號雲谷，南海（今廣州）人。父廷勳喜書畫，收藏極富。夢龍習有父風，居京師日，結交多一時勝流。歸里築倚山樓，翁方綱、伊秉綬、湯貽汾南來皆與訂交。刊刻有《友石齋帖》、《風滿樓帖》等。

元王元章畫梅花由明僧傳至領南為同年張藥房太史秘玩往在都曾見之太史晚年以

記嘉慶十六年九月展記款數亏友石齋得坐卧粤下旬日寧化伊秉綬題記

變化氣質，／陶冶性靈。／書爲叔魚三弟清正，／乙丑春日，秉綬。／

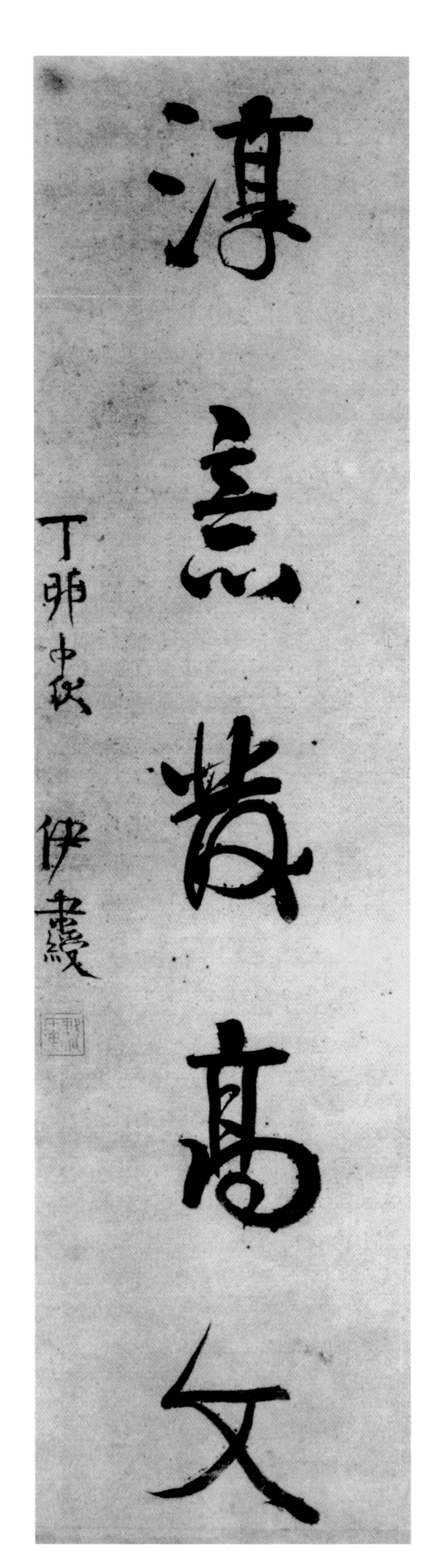

崇情符遠跡，／淳意發高文。／丁卯中伏，伊秉綬。／

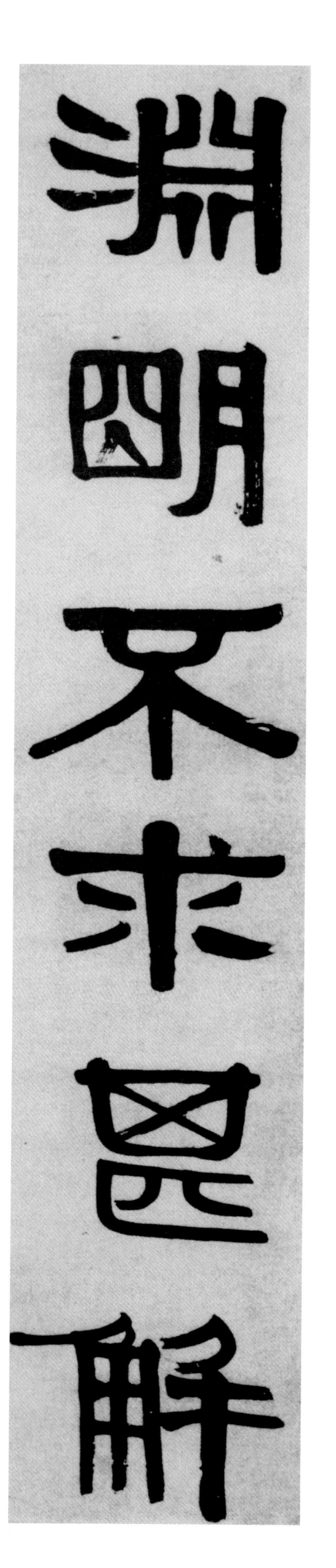

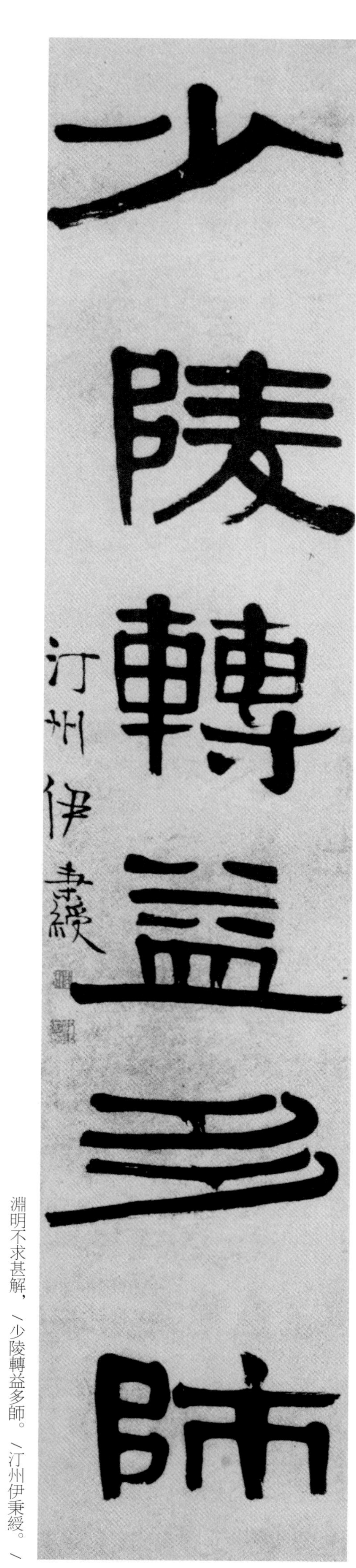

淵明不求甚解，／少陵轉益多師。／汀州伊秉綬。／

江山麗詞賦，／冰雪淨聰明。／嘉慶乙亥長臘，／味芸仁弟屬，秉綬。／

士夫君子舊知名，探／到瀟湘待月明。一曲瑤／琴秋入佩，果然燕姞／服香清。辛未九秋爲／文園大兄題贈。伊秉綬。／

燕姞：春秋時鄭文公妾，嘗夢天使賜蘭，後生穆公，名之曰蘭。見《左傳·宣公三年》。後用以泛指姬妾。

龍變：形容變化的神奇。《史記·封禪書》：『今鼎至甘泉，光潤龍變，承休無疆。』

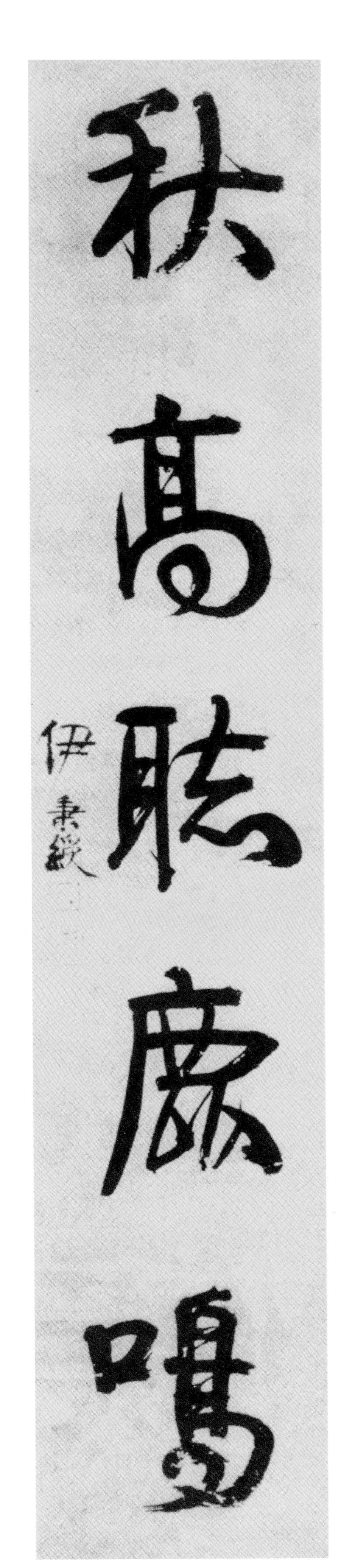

春暖觀龍變，/秋高聽鹿鳴。/伊秉綬。/

火滅修容，戒愼必〳恭，恭則壽。壬申秋日，秉綬爲〳瘦僊布衣書。〳

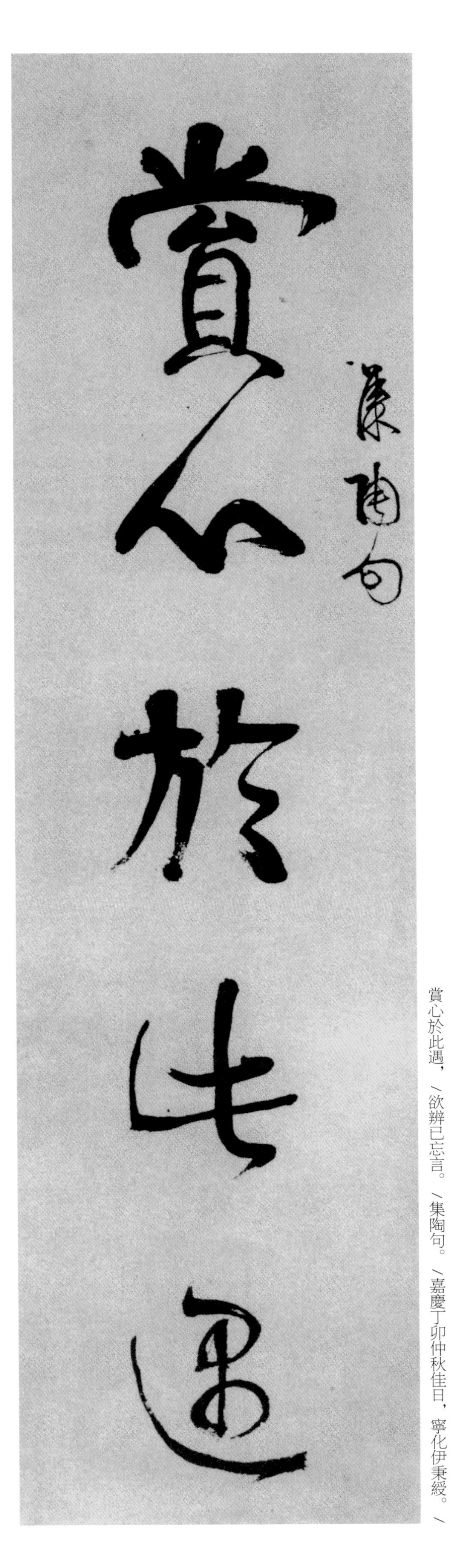

賞心於此遇，／欲辨已忘言。／集陶句。／嘉慶丁卯仲秋佳日，寧化伊秉綬。／

月華洞庭水，蘭/氣瀟湘煙。/賓谷方伯謂秉綬使湘之詩，以此二句爲第一。癸酉初夏□江書。/

按：此聯出自伊秉綬《寄韓桂舲觀察》，全詩爲：『故人持使節，應上巴陵船。曾作浮槎客，相思落木天。月華洞庭水，蘭氣瀟湘煙。亦踐君陳跡，驅車到海壖。』

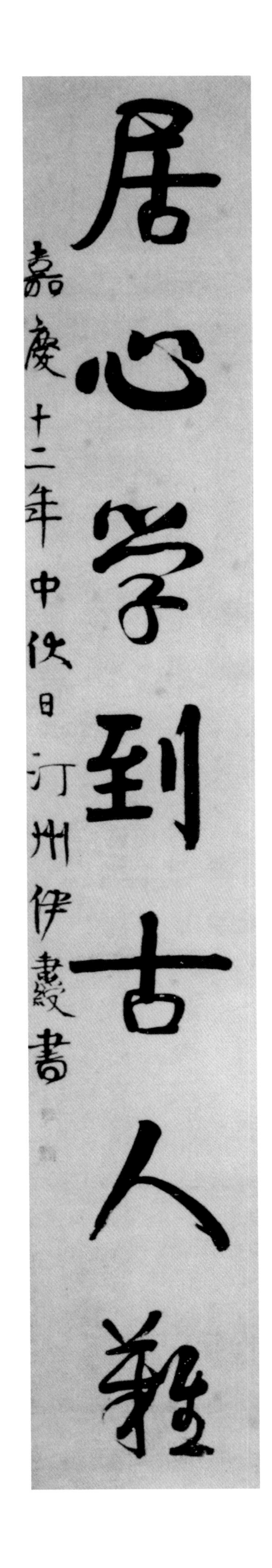

立腳怕怕隨流俗轉，/居心學到古人難。/嘉慶十二年中伏日，汀州伊秉綬書。/

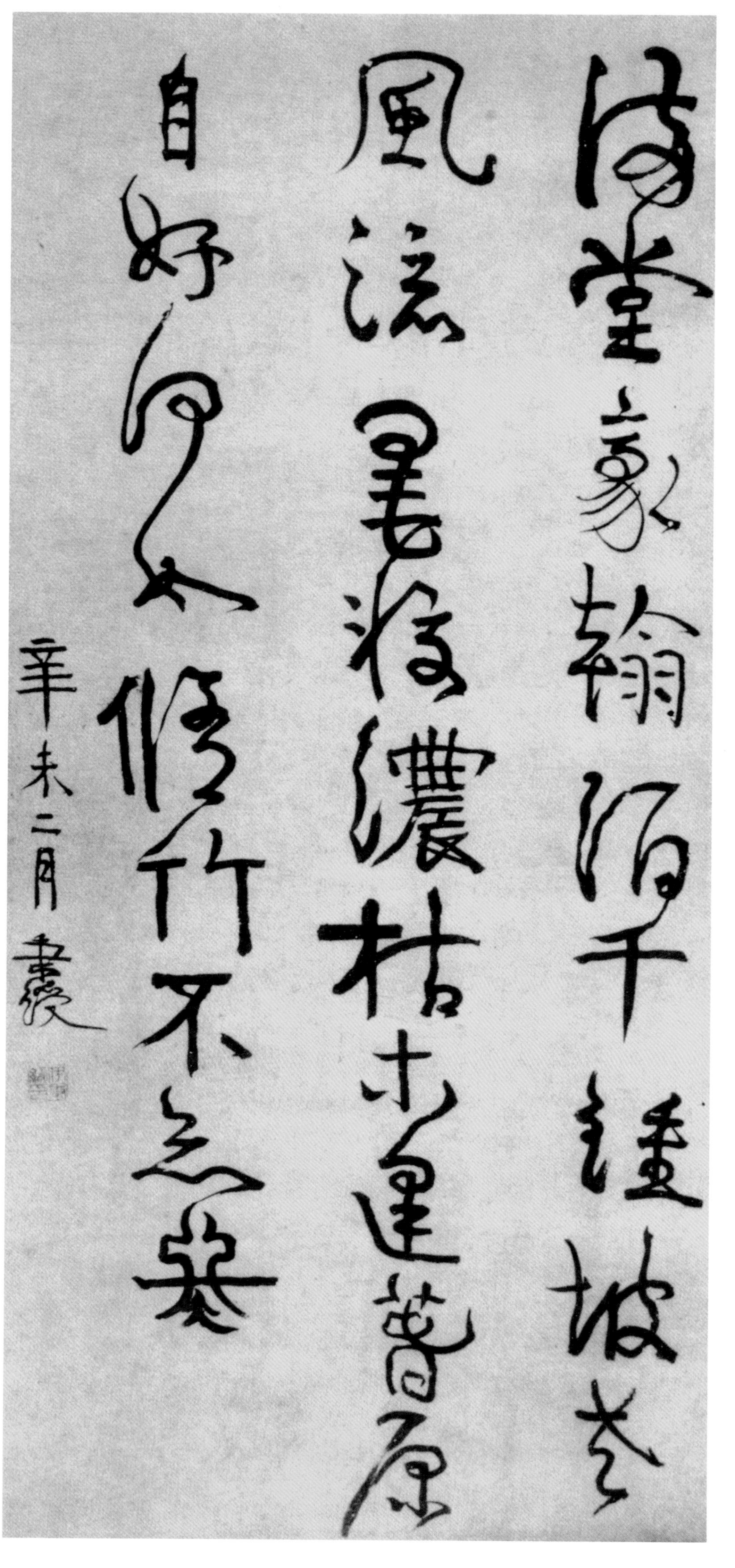

满堂豪翰酒千鍾，坡老／風流墨較濃。枯木逢春原／自好，何如修竹不知冬。／辛未二月，秉綬。／

象嶺東連白鶴峰，雙江風/斷五更鍾。我來作守先生/口，愁絶當年方子容。/題東坡小像，亏默化……歲暮春月，秉綬記。/

方子容：字南圭，莆陽人。生有異質，素行清慎，嗜書如命，處事識大體，慷慨有大志。擢癸巳科進士，官通議大夫，知惠州。蘇軾謫惠州日，正是子容守惠州時。二人在惠州相與唱和，共處甚歡，交誼深厚。

秦幷海内兼諸侯南面稱帝以養四海天下之士靡
然鄉風若是者何也曰近古之無王者久矣周室
卑微五伯既歿令不行於天下是以諸侯力政彊
侵弱衆暴寡兵革不休士民罷敝今秦南面王
天下是上有天子也既元元之民冀得安其性命
莫不虛心而仰止當此之時守威定功安危之本
在於此矣秦王懷貪鄙之心行自奮之智不信
功臣不親士民廢王道立私權禁文書而酷刑法

【楷書節録賈誼《過秦論》】秦併海内，兼諸侯，南面稱帝，以養四海，天下之士靡／然鄉風，若是者何也？曰：近古之無王者久矣。周室／卑微，五伯既歿，令不行於天下，是以諸侯力政，彊／侵弱，衆暴寡，兵革不休，士民罷敝。今秦南面王／天下，是上有天子也，既元元之民冀得安其性命，／莫不虛心而仰止，當此之時，守威定功，安危之本／在於此矣。秦王懷貪鄙之心，行自奮之智，不信／功臣，不親士民，廢王道，立私權，禁文書而酷刑法，／

罷敝：困苦窮乏。

先詐力而後仁義，以暴虐爲天下始。夫併兼者高/詐力，安定者貴順權，此言取與守不同術也。秦離/戰國而王天下，其道不易，其政不改，是其所以取/之守之者異也。孤獨而有之，故其亡可立而待。借使/秦王計上世之事，併殷周之跡，以制御其政，後雖/有淫驕之主而未有傾危之患也。故三王之建天下，/名號顯美，功業長久，牧民之道務在安之而已。/湛華七兄雅正，愚弟伊秉綬。/

紀文達：即紀昀（一七二四—一八〇五），字曉嵐，晚號石雲。清代名臣、學者，歷雍正、乾隆、嘉慶三朝。卒謚文達。

梁茝林：即梁章鉅（一七七五—一八四九），字閎中，又字茝林，號茝鄰，晚號退庵。祖籍福建長樂縣，清初徙居福州。嘉慶七年壬戌科進士，曾任江蘇布政使、甘肅布政使、廣西巡撫、江蘇巡撫等職。晚年從事詩文著述，乃楹聯學開山之祖。

河間紀文達師所
藏漢瓦研持贈長
樂梁茝林儀部同
門弟伊秉綬觀

【隸書題跋】河間紀文達師所/藏漢瓦研，持贈長/樂梁茝林儀部，同/門弟伊秉綬觀。/

考績：按一定標準考核官吏的成績。

尚矣：讚美辭。『尚』通『上』。《道德經》：『知不知，尚矣；不知知，病也。』

道素：指純樸的德行。晉葛洪《抱樸子·行品》：『履道素而無欲，時雖移而不變者，樸人也。』

【節臨顔真卿送劉太沖叙】開府垂明於宋室，澤州／考績於國朝，道素相承，／世傳儒雅，尚矣。／伊秉綬臨。／

【臨蘇舜元時相帖】時相欲以李建中爲三/司判官，李即日拂衣歸/洛陽，其高尚乃尔。/臨蘇才翁，秉綬。/

時相：當朝宰相。

三司判官：唐宋以鹽鐵、度支、户部爲三司，分别置使，主理財賦。三司使的下屬官員除副使外，尚有三司户部判官、三司度支判官、三司鹽鐵判官等。

李建中：字得中，京兆（今陝西西安）人。北宋書法家。曾任太常博士、金部員外郎、工部郎中、西京留司禦史台等職。世稱『李西台』。

蘇才翁：即蘇舜元，字叔才，號才翁。蘇易簡之孫，蘇舜欽之兄，梓州銅山（今四川德陽中江縣）人。

三枝朱草：指三枝紅色的珊瑚。按，全詩出自米芾《珊瑚帖》。

來自天中節使家：此句米芾原帖作『來自天支節相家』，當以原帖文爲準。天支：指天潢貴胄。節相：持節之權相，指位高權重的大臣。

五色筆頭花：用李白夢筆生花典故。五代王仁裕《開元天寶遺事·夢筆頭生花》：『李太白少時，夢所用之筆頭上生花，後天才贍逸，名聞天下。』全詩大意爲，這三支朱紅的珊瑚出自海中的金沙，是皇室子弟、貴胄大臣家中的舊藏。想到我當日參與朝廷文書的起草，只恨自己沒有那生花妙筆的出色文采。

蒙恩預名表：指蒙皇帝之恩參與朝廷文書的起草。

丙寅：嘉慶十一年，公元一八〇六年。

【臨米芾珊瑚帖】三枝朱草出金沙，來自／天中節使家。當日蒙恩預名／表，愧無五色筆頭花。／丙寅臘月秉綬。／

【隸書五言聯】爲文以載道，／論詩將通禪。／書爲舫西先生侍御尊兄正。／嘉慶丁卯花朝愚弟伊秉綬。／

嘉慶丁卯：嘉慶十二年，公元一八〇七年。

花朝：農曆二月十二日爲花朝節，是百花生日。

中平：東漢靈帝劉宏年號，中平三年爲公元一八六年。

厥：語助詞。析：分。陽氣厥析：陽氣分行於天下。僉然同聲：異口同聲。僉：皆，全。

震節，指二月。《禮記·月令》：『仲春之月……是月也，日夜分，雷乃發聲，始電，蟄蟲咸動。』《月令七十二候集解》：『驚蟄，二月節。……萬物出乎震，震爲雷，故曰驚蟄，是蟄蟲驚而出走矣。』

【節臨張遷碑】中平三年，二月震節，紀日／上旬。陽氣厥析，感思舊君。／故吏韋萌等，僉然同聲。／張遷碑。秉綬。／

中平三年二月震節紀日
上旬陽氣厥析感思舊君
故吏韋萌等僉然同聲
張遷碑
秉綬

【匾額】花嶼讀書堂。╱簡田十六先生╱雅屬並正。秉綬╱嘉慶壬申歲。╱

花嶼讀書堂：語出杜甫詩《寄彭州高三十五使君適虢州岑二十七長史參三十韻》：『竹齋燒藥灶，花嶼讀書床。』

嘉慶壬申：嘉慶十七年，西元一八一二年。

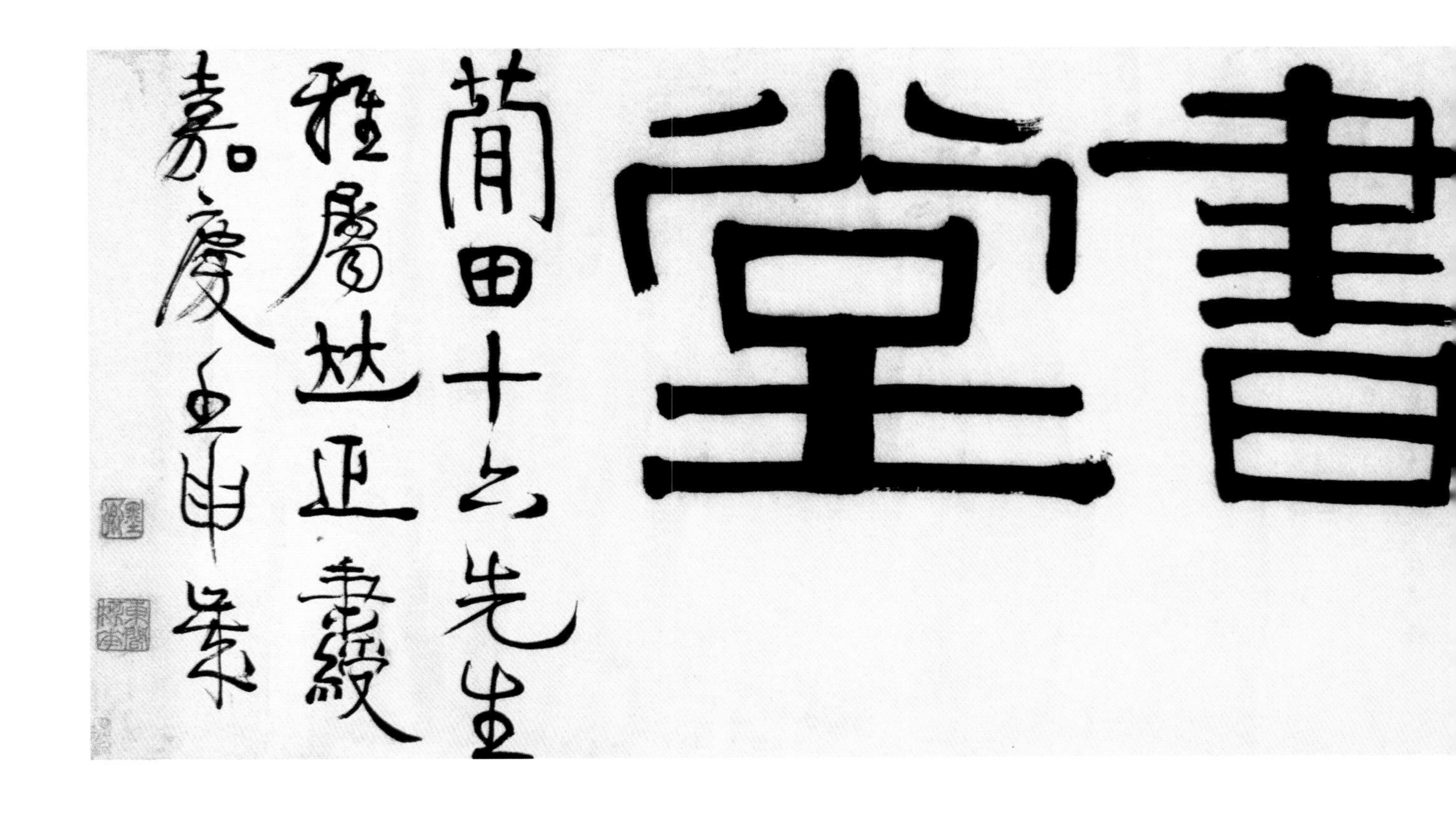

【隸書】慎言語，節飲食。／有道德，能文章。／大富貴，亦壽考。／壬申午日秉綬。／

慎言語，節飲食：語出《易·頤》：『君子以慎言語，節飲食。』

大富貴，亦壽考：富貴而且長壽。《舊唐書·郭子儀傳贊》：『富貴壽考，繁衍安泰，哀榮始終，人道之盛，此無缺焉。』

午日：端午，即農曆五月初五日。

按：本詩原題作《題薔薇花》，是唐朝詩人朱慶餘所作。

蜂鬚：蜜蜂的觸鬚。

紅墜斷腸英：形容紅花落地，令人悲傷欲絶。

【行書朱慶餘題薔薇花】四面垂條密，重陰入夏清。緑/攢傷手刺，紅墜斷腸英。粉/著蜂鬚膩，光凝蝶翅明。雨/中看亦好，况復值初晴。/薔薇花。伊秉綬。/

歷代集評

直至伊墨卿、桂未谷出，始遥接漢隸真傳。墨卿能拓漢隸而大之，愈大愈壯。未谷能縮漢隸而小之，愈小愈精。

——清　梁章鉅《退庵隨筆》

乾隆之世，已厭舊學。冬心、板橋，參用隸筆，然失則怪，此欲變而不知變者。汀洲精於八分，以其八分爲真書，師仿《吊比干文》，瘦勁獨絶。懷甯一老，實丁斯會，既以集篆隸之大成，其隸楷專法六朝之碑，古茂渾樸，實與汀洲分分、隸之治，而啓碑法之門。開山作祖，允推二子。

本朝書有四家，皆集古大成以成楷：集分書之成，伊汀州也；集篆隸書之成，鄧頑伯也；集帖學之成，劉石庵也；集碑之成，張廉卿也。

——清　康有爲《廣藝舟雙楫》

伊墨卿書用筆用墨皆有心得，《昭代尺牘小傳》稱其書似李西涯，尤精古隸。近人康有爲稱爲『集分書之大成』。

墨卿分隸愈大愈佳，愈瘦愈妙。小楷初頗秀健，行書用功不深，取材不廣，頗襲李西涯之貌，屈曲盤繞，以之作跋尾書則極古雅。若專論行書，則手生才薄，未成之書，未能合於古法，或於晉、唐、宋以來諸帖未暇兼攻耳。友人謂其行書别有奇趣，金石之味盎然。余亦首肯其言。

——近现代　王潛剛《清人書評》

墨卿所成，似西漢而時雜東京。

——近现代　劉咸炘《弄翰餘瀋》

中國碑帖名品［九十七］

伊秉綬書法名品

本社 編

責任編輯 孫稼阜
釋文注釋 俞 豐
審　　定 沈培方
責任校對 郭曉霞
封面設計 王 崢
整體設計 馮 磊
技術編輯 錢勤毅

出版發行 上海世紀出版集團
上海書畫出版社
地址 上海市闵行区號景路159弄A座4楼 201101
網址 www.shshuhua.com
E-mail shcpph@163.com
印刷 上海界龍藝術印刷有限公司
經銷 各地新華書店
開本 889×1194mm 1/12
印張 5 2/3
版次 2015年8月第1版
2022年9月第6次印刷

書號 ISBN 978-7-5479-0992-8
定價 58.00元

若有印刷、裝訂質量問題，請與承印廠聯繫

圖書在版編目（CIP）數據

伊秉綬書法名品/上海書畫出版社編.—上海：上海書畫出版社，2015.8
（中國碑帖名品）
ISBN 978-7-5479-0992-8
Ⅰ.①伊… Ⅱ.①上… Ⅲ.①隸書—法帖—中國—明代
Ⅳ.①J292.26
中國版本圖書館CIP數據核字（2015）第080173號